# Voytek the Soldier Bear
# Niedźwiedź Żołnierz o imieniu Wojtek

*by Garry Paulin*

G000300650

Illustrations by Sophie Stubbs
www.voytekbear.com
Published by Garry Paulin

In September 1939 Germany and Russia invaded Poland. Great Britain and France had a pact with Poland and as a result Britain declared war on Germany.

Within a few months an estimated 1.5 million Polish men and their families were transported to work in Russian labour camps in Siberia. Fortunately, Hitler invaded Russia in the summer of 1941 and this meant that Russia was now fighting with the Allies against Germany and on the same side as Poland. Russia was suffering terrible losses and they were forced to sign a Polish – Soviet agreement. The Polish Army was formed.

Russia released the men, women and children held in the labour camps. Approximately 120,000 people including children assembled. This figure gives some indication of how many people had perished in less than 2 years in the camps. From this group of people only the fittest men and women would make up the new army.

Russia was struggling to cope with the war and could not afford to equip and feed this force. Support was provided by Great Britain. Permission was granted to evacuate part of the new army to Persia (Iran). The British Government would supply food, equipment and armaments.

It was on a trip through the mountains in Iran, near a town called Hamadan that the soldiers came upon a young boy at the road side. The boy looked hungry; the soldiers took pity on him and gave him what food they could spare. The boy held a sack. The soldiers opened the sack and were surprised to find a small bear cub. The boy explained that the bear's mother had been shot by hunters. The boy gave the cub to the soldiers.

One soldier in particular, whose name was Pyotr (Peter), came to be regarded by the cub as his mother. The soldiers named the cub Wojtek (Voytek). To read more about Voytek I recommend a book titled " Soldier Bear" by G. Morgan & W.A. Lasocki.

The Battle for Monte Cassino is regarded as one of the hardest fought battles in the Second World War. Three separate battles were fought by Allied divisions but the mountains could not be taken. Finally, after a seven day battle, the Polish Second Army Corp., under the command of General Wladslaw Anders did it.

Voytek and the soldiers arrived at Winfield Camp, Berwickshire in October 1946. In November 1947 Pyotr (Peter) took Voytek to Edinburgh Zoo. He walked with Voytek into his cage. Soon afterwards Pyotr (Peter) moved to London.

Voytek lived for 16 years in the Zoo. It is unlikely that he was happy at the Zoo after being used to so much freedom. The Zoo director wrote "I never felt so sorry as I was to see an animal who had enjoyed so much freedom and fun, confined to a cage."

Voytek's last few years were torrid for him. Finally, on the 2nd December 1963, Voytek was euthanased aged 21 years. He was given an old soldiers death . . . he was shot.

Great Britain went to war for Poland. Polish soldiers and airmen fought alongside ours. But tragically at Yalta in February 1945 an exhausted Prime Minister Churchill and a dying President Roosevelt agreed to Stalin's demands and left Poland, and other Eastern European countries behind the Iron Curtain. It would be 1989 before Poland regained her freedom.*

*Lady Brigid McEwen - "Polish Soldiers of the Borders 1942 to Present"

We wrześniu 1939 r. Niemcy i Rosja zaatakowały Polskę. Wielka Brytania i Francja zawarły układ z Polską. W rezultacie Wielka Brytania wypowiedziała wojnę Niemcom.

W ciągu paru miesięcy około 1,5 miliona Polaków i ich rodzin wywieziono na przymusowe roboty do rosyjskich obozów pracy na Syberii. Latem 1941 roku Hitler zaatakował Rosję. W wyniku tego Rosja połączyła siły z aliantami w walce przeciwko Niemcom, a tym samym stanęła po stronie Polski. Rosja doznała wielkich strat na początku wojny i zmuszona była do zawarcia porozumienia z Polską. W wyniku tego porozumienia powstała Polska Armia.

Rosja uwolniła zatrzymywanych w obozach pracy mężczyzn, kobiety i dzieci. Łącznie było to około 120 000 osób. Liczba ta wskazuje jak wielu ludzi zginęło w obozach pracy w przeciągu niecałych 2 lat. Spośród tych osób jedynie najsprawniejsi mężczyźni i kobiety utworzyli nową armię.

Rosja ciężko zmagała się by przetrwać wojnę. Nie była jednak w stanie wyposażyć i wyżywić armii. Nadeszło wsparcie z Wielkiej Brytanii i wydane zostało pozwolenie na ewakuację części nowej armii do Persji (Iranu). Rząd brytyjski zaopatrywał armię w jedzenie, wyposażenie i zbrojenia.

Podczas wędrówki przez góry w Iranie, polscy żołnierze napotkali przy drodze biednego chłopca, który wyglądał na głodnego. Chłopiec miał ze sobą worek, a w nim  małego niedźwiadka. Żołnierze zlitowali się nad chłopcem i dali mu część swoich zapasów jedzenia. Chłopiec z wdzięczności za żołnierską pomoc podarował im niedźwiadka i wyjaśnił, że matka niedźwiedziątka została zastrzelona przez myśliwych.

Niedźwiadek szczególnie upodobał sobie żołnierza o imieniu Piotr, którego traktował jak swoją mamę. Piotr nazwał zwierzaka Wojtek. Aby dowiedzieć się więcej o Wojtku polecam książkę napisaną przez G. Morgana i W.A. Lasockiego zatytułowaną „Niedźwiedź Żołnierz" (" Soldier Bear").

Bitwa o Monte Cassino uważana jest za jedną z najcięższych bitew okresu II wojny światowej. Dywizje wojsk alianckich stoczyły trzy różne bitwy, ale nie mogły zdobyć gór. Dopiero Drugi Korpus Polskiej Armii Generała Władysława Andersa, po trwającej siedem dni bitwie, zdobył Monte Cassino.

Wojtek wraz z żołnierzami przybył do obozu w Winfield (Berwickshire) w październiku 1946 roku. W listopadzie 1947 roku Piotr, który oddawał Wojtka do Zoo w Edynburgu, żegnając się ze zwierzakiem, wszedł z nim do jego klatki. Wkrótce po tym Piotr przeprowadził się do Londynu.

Wojtek żył w zoo 16 lat. Przyzwyczajony do życia na wolności niedźwiedź, nie potrafił znaleźć swojego miejsca w zamkniętym zoo. Dyrektor zoo napisał: „Nigdy wcześniej nie było mi tak przykro, jak w przypadku tego zwierzaka, który po zaczerpnięciu życia i zabawy na wolności, został uwięziony w klatce".

Ostatnie lata życia Wojtka były dla niego straszna męką. 2 grudnia 1963 roku Wojtek został uśpiony, dożył 21 lat. Zginął śmiercią starego żołnierza…został zastrzelony.

Wielka Brytania dołączyła do wojny dla sprawy polskiej. Polscy żołnierze i lotnicy walczyli ramię w ramię z naszymi. Niestety, w Jałcie we wrześniu 1945 r. wyczerpany premier Churchill i umierający prezydent Roosvelt zgodzili się na żądania Stalina i pozostawili Polskę i inne kraje Europy wschodniej za „żelazną kurtyną". Polska odzyskała wolność dopiero w 1989 roku.

It was dark, very dark.

He was cold.

He was hungry.

He was alone.

Było ciemno, bardzo ciemno.

Było mu zimno.

Był głodny.

Był sam.

Someone was opening the sack.
As the orphaned bear cub emerged from the darkness
he licked the soldier's hand.

Ktoś otworzył worek. Osierocony niedźwiadek
wynurzył się z ciemności i polizał rękę żołnierza.

The soldiers made a baby's bottle
and fed the little bear cub.
At night the bear cub snuggled
up inside the soldiers' coats for warmth.
The soldiers called him Voytek.

Żołnierze zrobili butelkę ze smoczkiem
i nakarmili małego niedźwiadka.
W nocy zwierzak wtulał się w płaszcze
żołnierzy, by się ogrzać. Żołnierze
nazwali go Wojtek.

On the base camp Voytek could hear a strange noise . . .
he looked around . . . upwards into a palm tree . . .
he saw something moving . . . a nut hit him on the head!
A tiny monkey was throwing nuts at him!
The monkey's name was Kasha. She was full of
mischief and would tease and annoy Voytek at every opportunity.

Wojtek usłyszał dziwny dźwięk w bazie . . . . . rozejrzał się
dookoła . . .spojrzał do góry na drzewo palmowe . . . widział,
jak coś się poruszyło, orzech uderzył go w głowę! To mała
małpka rzucała w niego orzechami!
Miała na imię Kasia, była bardzo figlarna i kiedy tylko mogła,
drażniła się z nim i złościła go.

One day, while running around the camp Voytek tripped
on a guy rope and tumbled onto something soft . . .
the Dalmatian dog was startled and leapt to his feet
but after a few seconds both he and Voytek
were licking each other's noses.
The dog's name was Tommy and he and Voytek became great friends.


Pewnego dnia, biegając po obozie Wojtek potknął
się o linę i upadł na coś miękkiego. . . .
spłoszony dalmatyńczyk zerwał się na równe nogi,
ale już po kilku sekundach razem z Wojtkiem lizali sobie nosy.
Pies wabił się Tommy i bardzo zaprzyjaźnił się z Wojtkiem.

Early in the morning, Voytek would carry out his inspection
of the camp. His favourite visit was to see the cooks.
They would always have something 'yummy' for him.

Każdego dnia wczesnym rankiem Wojtek przeprowadzał inspekcję
obozu. Najbardziej lubił odwiedzać kucharzy.
Zawsze mieli dla niego jakiś smakołyk.

Voytek loved to play wrestle with the soldiers. The soldiers would often 'give in' to the delighted bear cub. The soldiers grew very fond of Voytek.

Wojtek uwielbiał bawić się w zapasy z żołnierzami, którzy często poddawali się pociesznemu niedźwiadkowi. Bardzo go polubili.

Voytek would accompany the soldiers on trips transporting equipment around different bases.
Local people were often startled by the sight of Voytek.
He loved to sit in the front of the truck!

Wojtek towarzyszył żołnierzom podczas przenoszenia sprzętu do innych baz.
Miejscowi ludzie często reagowali strachem na widok Wojtka.
Uwielbiał siedzieć na przedzie pojazdu!

Voytek grew and grew!
He still enjoyed wrestling with the men.
However, now it was on his terms . . .
he could even empty their pockets!!


Wojtek rósł jak na drożdżach, pomimo swego dużego rozmiaru
wciąż lubił bawić się w zapasy z żołnierzami ...
ale teraz to on był górą ... potrafił nawet wyłuskać
wszystko z żołnierskich kieszeni!!

Finally, the day arrived when Voytek and the soldiers would sail to Italy. The crossing from Egypt took several days. Voytek was very sea sick. Finally, they landed at Taranto.

Nadszedł dzień, w którym Wojtek wraz z żołnierzami wyruszyli w rejs do Włoch. Wyprawa z Egiptu trwała wiele dni. Wojtek cierpiał na chorobę morską. W końcu dopłynęli do Tarentu.

Voytek and the soldiers supplied ammunition and equipment
to the soldiers on the front line. Sometimes Voytek's
truck was attacked by the Luftwaffe (The German Air force).

Wojtek i żołnierze zaopatrywali w amunicję i różny sprzęt
żołnierzy na linii frontu. Zdarzało się, że Luftwaffe
(niemieckie siły powietrzne) atakowało pojazd,
w którym znajdował się Wojtek.

Voytek helped the soldiers unload the ammunition and supplies.
This was very heavy work!!
The soldiers looked on amazed.

Wojtek pomagał żołnierzom rozładowywać amunicję i zapasy.
Była to bardzo ciężka praca!!
Żołnierze patrzyli ze zdumieniem.

The soldiers were very impressed by Voytek's actions and soon the army recognised this. They had Company badges made showing Voytek carrying a shell against a steering wheel background.

Żołnierze byli pod wrażeniem czynów Wojtka, co wkrótce zostało docenione. Żołnierze Kompanii otrzymali odznaki przedstawiające Wojtka niosącego granat, na tle kierownicy.

Soon the war was over and Voytek and the soldiers set sail
for Glasgow. Thousands of people lined the streets
to greet the soldiers and their special hero . . .Voytek.

Wojna wkrótce się skończyła i Wojtek wraz z żołnierzami
wyruszył w rejs do Glasgow. Tysiące ludzi zebrało się na
ulicach, by przywitać żołnierzy i ich wyjątkowego
przyjaciela . . .Wojtka.

Voytek and the soldiers lived on a camp in Scotland near a town called Berwick-upon-Tweed.
It was time for the soldiers to leave the army and return to their families and find jobs.
Voytek was sad. Where would he live?

Wojtek mieszkał z żołnierzami w obozie w Szkocji w pobliżu miasteczka Berwick nad rzeką Tweed. Nadszedł jednak czas, by żołnierze wrócili do swych rodzin i znaleźli pracę.
Wojtek był smutny, gdzie miał się podziać?

Voytek's friends were leaving and the camp was being closed.
Where could he go?

Przyjaciele Wojtka odchodzili, a obóz zamykano.
Dokąd miał pójść?

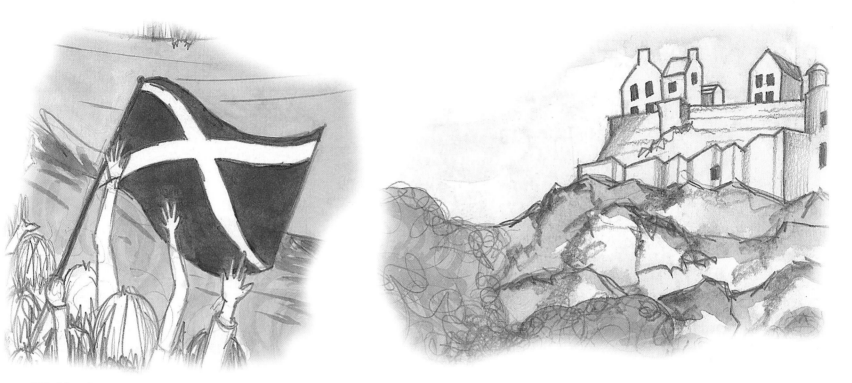

Edinburgh Zoo offered Voytek a new home. He could live in the Zoo
and make new friends.

Zoo w Edynburgu stało się nowym domem Wojtka. Mógł tam
zamieszkać i znaleźć nowych przyjaciół.

Voytek was very curious about his new home; he was pleased
to have his own seat.

Voytek was very popular and thousands of people visited him.

Voytek lived for 16 years at the zoo. He died when he was 21.

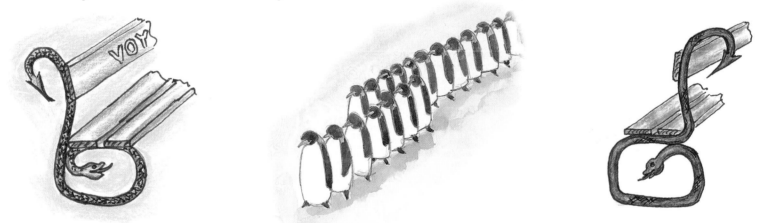

Wojtek był bardzo ciekaw swojego nowego domu; cieszył się,
że miał swoją własną ławkę.

Był bardzo popularny, tysiące ludzi przychodziło go
odwiedzać. Żył w zoo przez 16 lat. Dożył 21 lat.

The memories of Voytek live on in the people who met him.
In London and Ottawa statues commemorate this extraordinary bear.

and in Duns

Wojtek nadal żyje w pamięci ludzi, którzy go spotkali.
A statuy w Londynie i Ottawie upamiętniają tego niezwykłego
niedźwiedzia.

# THE END

# KONIEC

When you visit Berwick-upon-Tweed,
look for the real serpents!

Kiedy odwiedzisz miasto Berwick-upon-Tweed
szukaj prawdziwych "serpents"!

# Acknowledgements

I would like to thank the following for their help, support and patience.

Lady Brigid McEwen, *"Polish Soldiers of the Borders 1942 - present"*
Raymond Russell, *Senior Carnivore Keeper, Edinburgh Zoo*
Szanka Rae, *Eyemouth*
Alex Spence, *Web Design - www.beincontrol.co.uk*
Heather Black
Agnieszka Budzyńska
Krzysztof Kucina
Magda and Paweł Ciszewscy
Photo on back cover courtesy of Mr. & Mrs. Shepherd, Coldstream
(Voytek at Winfield Camp, Berwickshire, Scotland - 1946)
Company Badge photo courtesy of Sandra Dawson

# Podziękowania

Zdjęcie znajdujące się z tyku książki, zawdzięczamy uprzejmoci państwa Shepherd, Coldstream
(Wojtek w obozie w Winfield, Berwickshire, Szkocja – 1946)